Ná himigh chuig an Antartach le Shackleton!

Scríofa ag
Jen Green

Maisithe ag
David Antram

Cruthaithe agus deartha ag
David Salariya

Leagan Gaeilge le
Patricia Mac Eoin

Seachain

Futa Fata

Clár

Réamhrá

A n bhliain 1912 atá ann. Leis na céadta bliain tá **eachtránaithe*** cróga láidre ag tabhairt faoi thurais go dtí **an tArtach** agus **an tAntartach** – réigiúin fhuara reoite i bhfad ó bhaile.

Bhí na **heachtránaithe** seo in iomaíocht le chéile fiú, agus iad ag iarraidh an Mol Theas agus an Mol Thuaidh a bhaint amach! Is iad an Mol Theas agus an Mol Thuaidh na pointí is faide ó dheas agus ó thuaidh ar domhan. Sa bhliain 1909 bhí rás fíochmhar idir Roald Amundsen, ón Iorua agus an Captaen Robert Scott ón mBreatain. Bhí an bheirt ag rásaíocht go dtí an Mol Theas. Amundsen a bhuaigh an rás – ba é an chéad duine a leag cos ar an Mol Theas.

Cad a dhéanfaidh na **heachtránaithe** anois? Bhuel, tá plean dána ag an Éireannach, **Ernest Shackleton**. Tá sé ag iarraidh dul ar ais go dtí **an tAntartach** (bhí sé ann cúpla uair roimhe seo). Turas nua an-dúshlánach atá ar intinn aige an uair seo.

Frank Worsley is ainm duit agus is mairnéalach tú. Ba mhaith leat dul ar an turas seo le Shackleton. Níl a fhios agat fós, ach beidh an turas seo an-deacair ar fad. B'fhéidir go mb'fhearr duit fanacht sa bhaile!

*Tá míniú i gcúl an leabhair ar gach focal a bhfuil **cló trom** air.

Plean Craiceáilte

Tá sé ar intinn ag Shackleton **an tAntartach** a thrasnú ó thaobh amháin go dtí an taobh eile, ag dul thar an Mol Theas. Sin turas 3,300km ar fhad! Agus níl aon léarscáil den Antartach ar fáil! Cuireann Shackleton fógra i nuachtán: 'Fir ag teastáil le dul ar thuras. Drochphá, fuacht uafásach, míonna fada gan solas ar bith, dainséar, seans nach dtiocfaidh tú ar ais. Clú agus cáil má éiríonn linn'. Freagraíonn tú an fógra nuachtáin. Glacann Shackleton leat. Beidh tú ag dul go dtí **an tAntartach**!

Tosóidh an turas ar chósta Mhuir Weddell. Rachaidh Shackleton agus na fir trasna an Antartaigh chomh fada le Muir Ross, ag dul thar an Mol Theas. Bainfidh siad úsáid as **huscaithe** agus carranna sleamhnáin.

Rinne Shackleton turas eile sa bhliain 1909. Bhí a fhoireann 160km amach ón Mol Theas nuair a bhí orthu casadh ar ais agus dul abhaile. Tá sé dóchasach go mbeidh ádh níos fearr air an uair seo!

An Endurance

Ar Aghaidh Linn

I samhradh na bliana 1914 tá gach rud réidh. *Endurance* an t-ainm atá ar an mbád, agus beidh sí in ann seoladh i bhfarraigí fuara Antartacha. Is mairnéalach den scoth tú agus mar sin beidh tú i do chaptaen ar an mbád. Cé eile atá ar chriú an bháid? Bhuel, meascán daoine – idir iascairí agus mhairnéalaigh, shaineolaithe faoin Antartach, agus eolaithe óga, díreach amach ón ollscoil! Ar bord freisin, tá seasca **huscaí** chun na carranna sleamhnáin a tharraingt, chomh maith le dhá mhuc as a ndéanfar ispíní blasta agus cat darb ainm 'Mrs. Chippy'.

An criú

Bád agus criú:

Tá trí chrann seoil agus innill ar an Endurance. Tá an bád déanta as adhmad fíorchrua le go mbeidh sí in ann dul tríd aon oighear a thagann ina treo.

Tá cócaire, siúinéir, ealaíontóir, grianghrafadóir agus beirt dochtúirí ar bord. Tugann loingseoir agus innealtóir cúnamh duit an bád a sheoladh.

Tá 28 fear ar an gcriú, ina measc **folachánaí** a tháinig ar bord i ngan fhios d'aon duine i mBuenos Aires na hAirgintíne.

8

Cuireann sibh chun farraige ar 8 Lúnasa, 1914, díreach nuair atá an Chéad Chogadh Domhanda ag tosú. Téann sibh ó dheas chomh fada leis an tSeoirsia Theas, oileán iargúlta san Atlantach Theas. Deir na hiascairí ansin go bhfuil a lán oighir san fharraige i mbliana.

Nod Beag

Fainic!

Coinnigh súil amach do **chnoic oighir**. D'fhéadfadh siad an bád a scriosadh!

Beidh an cat sin blasta!

I bhFostú San Oighear

Faoi mhí na Nollag 1914 tá an bád sa Mhuir Weddell. Tá a lán **pacoighir** ar snámh san fharraige. Leanann tú ar aghaidh, mar sin féin, go dtí go dtarlaíonn tubaiste mhór. Go tobann, téann an bád i bhfostú i leac mhór oighir. Agus níl tú ach 160 km amach ó ilchríoch an Antartaigh!

Tá an bád fós i bhfostú san oighear ag tús mhí Feabhra. Déanann tú féin agus an criú an-iarracht an bád a scaoileadh. Faraor, ní éiríonn libh. Tá an t-oighear róthiubh. Tosaíonn an leac ina bhfuil an bád sáinnithe ag imeacht le sruth, ach imíonn sí sa treo mícheart! Níl aon dabht ach go bhfuil rudaí go han-dona ar fad!

Eanáir

Is í mí Eanáir lár an tsamhraidh san Antartach agus ní théann an ghrian faoi ar chor ar bith. Déanann tú dearmad dul a chodladh. Tar éis cúpla lá, éiríonn tú an-tuirseach.

Nod Beag

Bíonn cluiche peile agat ar an oighear, leis an am a chaitheamh. Tá sé sleamhain ach is mór an spraoi é!

Mí Iúil

Tá an bád fós i bhfostú san oighear. Tá an geimhreadh ann anois san Antartach, agus ní éiríonn an ghrian ar chor ar bith. Téann tú ag rásaíocht leis na madraí faoi sholas na gealaí.

Níos measa fós!

Tá rudaí go dona agus tá siad ag dul in olcas! I mí Dheireadh Fómhair 1915, tosaíonn an **pacoighear** ag gluaiseacht, agus ag cur brú ar thaobhanna an bháid. Brúnn an **pacoighear** an bád ar gach taobh. Tosaíonn sí ag briseadh as a chéile. Tá gach rud trína chéile….uisce fuar oighreata ag sileadh isteach sa bhád, agus na fir agus na madraí ag titim anuas di. Tá oraibh an bád a fhágáil. Beidh tú ag dul a chodladh ar an oighear anois! Ó, tá rudaí an-dona, níl aon dabht faoi!

Anseo!

SOLÁTHAIR. Briseann an bád chomh tapa sin nach bhfuil tú in ann ach roinnt rudaí tábhachtacha a shábháil….trí bhád tarrthála, na carranna sleamhnáin, treallamh loingseoireachta agus do bhainseó.

AR AN OIGHEAR. Ní raibh tú riamh chomh fuar! Ba bhreá leat a beith sa bhaile i do leaba féin!

Bain úsáid as seolta canbháis chun rudaí a shleamhnú go talamh. Ní maith leis na muca an modh taistil seo!

Tar éis seachtaine 13

Ag Tarraingt na mBád

Do Chuid Éadaí:

FO-ÉADAÍ: Caitheann tú fobhrístí fada, stocaí móra, veist throm agus péire eile brístí agus geansaí teolaí anuas air sin!

ÉADAÍ: Tugann seaicéad mór trom cosaint duit ón ngaoth láidir agus ón sneachta. Chomh maith leis sin tá caipín, lámhainní agus buataisí ort.

Mí na Samhna 1915 agus tá an Endurance imithe go hiomlán faoin oighear anois. Tá sibh ar an oighear le deich mí, 650 km amach ó thalamh an Antartaigh. Cad a dhéanfaidh sibh anois? Deir Shackleton go gcaithfidh sibh an 650 km sin a shiúl, ag tarraingt na mbád tarrthála. Tá na báid tharrthála an-trom, agus is deacair iad a tharraingt. Tar éis seachtaine, níl

1, 2, 3... Tarraing!

ach 11km curtha díobh agaibh. Tógfaidh sé bliain an 650 km a shiúl ag an ráta seo! Agus níl dóthain bia fágtha ach i gcomhair dhá mhí. Deir Shackleton nach fiú dul níos faide. Déanfaidh sibh campáil ar an oighear. Leáfaidh an t-oighear tar éis tamaill eile, é sin nó gluaisfidh sé i dtreo an talaimh thirim. Tá tú ag súil nach gcaillfear den ocras thú roimhe sin!

Nod Beag

Go héalann!

Má itheann tú orgáin ainmhithe atá díreach maraithe ní thiocfaidh **scorbach** ort, galar a bhaineann le heaspa vitimín C.

Ag Campáil ar an Oighear

Cad tá le hithe?

AN DINNÉAR CÉANNA gach aon lá! Rón nó piongain (má tá an t-ádh leat). Níl fágtha ón mbia a thug sibh libh ach cnónna agus oinniúin. Agus an rud céanna don lón!

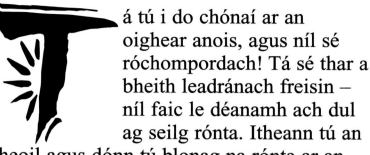

Tá tú i do chónaí ar an oighear anois, agus níl sé róchompordach! Tá sé thar a bheith leadránach freisin – níl faic le déanamh ach dul ag seilg rónta. Itheann tú an fheoil agus dónn tú blonag na rónta ar an sorn. Ní mór duit a bheith cúramach faoi na rónta liopaird fiánta. Tá fiacla géara acu agus d'fhéadfadh siad thú a mharú. Faoi Mhárta 1916, tá an leac oighir fút tar éis bogadh níos faide ón talamh ná riamh.

D'áit chónaithe:

CAITHEAMH AIMSIRE. Imríonn tú cartaí sna pubaill nuair atá an aimsir réasúnta maith. Ach má tá sé an-fhuar téann tú isteach i do mhála codlata atá déanta as craiceann réinfhia, le go mbeidh tú deas teolaí.

Nod Beag

Leag rópaí amach thart ar an gcampa. Anois ní rachaidh tú ar strae i stoirm mhór sneachta. Beidh tú in ann do bhealach ar ais a aimsiú leis na rópaí.

17

Turas go dtí Oileán Eilifinte

Briseann an t-oighear:

AR OIGHEAR TÁNAÍ. Is féidir gluaiseacht na dtonnta a bhrath nuair atá an t-oighear an-tanaí. Tagann tinneas farraige ort!

AR AN BHFARRAIGE. Cuireann sibh na báid ar an bhfarraige agus téann sibh ó thuaidh ag rámhaíocht go tréan. Cuireann na tonnta móra scanradh ort.

Faoi mhí Aibreáin, tá an **pacoighear** ag briseadh. Is féidir libh na báid tharrthála a chur chun farraige anois. Déanann Shackleton cinneadh dul go hOileán Eilifinte, áit atá 160 km ó thuaidh. Tá gach duine an-sásta a bheith ag fágáil an oighir. Tá an turas an-dainséarach áfach, mar gheall ar na tonnta móra agus na **cnoic oighir**. D'fhéadfadh na tonnta móra na báid a iompú nóiméad ar bith!

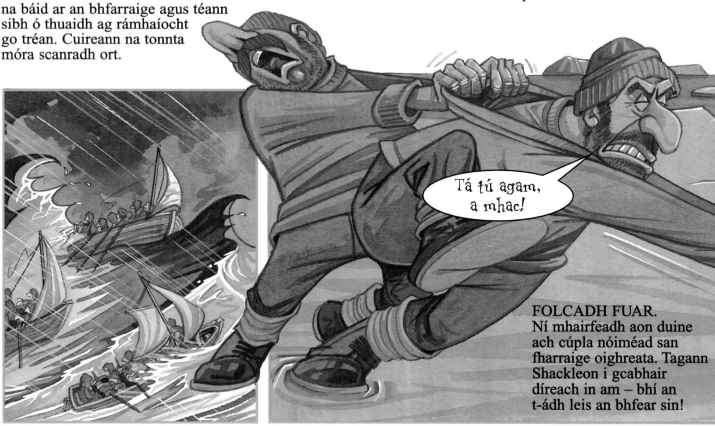

Tá tú agam, a mhac!

FOLCADH FUAR. Ní mhairfeadh aon duine ach cúpla nóiméad san fharraige oighreata. Tagann Shackleon i gcabhair díreach in am – bhí an t-ádh leis an bhfear sin!

Tá tú fliuch, fuar agus ocrach le linn an turais. Faigheann cúpla duine **dó seaca**. Má fheiceann sibh leac mhór oighir, stopann sibh agus téann sibh a chodladh air ar feadh na hoíche. Ach tá an t-oighear an-tanaí agus an-dainséarach ar fad. Oíche amháin briseann an t-oighear faoi phuball agus titeann fear isteach san uisce agus é ina mhála codlata.

MÉID BIA: Níl ach deoch the amháin agus briosca amháin le hithe agat in aghaidh an lae. Bíonn ocras ort an t-am ar fad!

Nod Beag

Ná déan dearmad 'oighear talaimh' a thabhairt leat chun é a leá. Tá an méid sin salainn san oighear farraige nach féidir é a ól.

Bhí an t-ádh leis!

MÍOLTA MÓRA ag léim in bhur dtimpeall. Má thagann ceann acu anuas ar an rópa a cheanglaíonn na trí bhád le chéile, beidh gach duine i mbaol.

19

Oileán Eilifinte

OILEÁN EILIFINTE. Tá aillte arda agus uisce úr ar an oileán. Tá rónta agus piongainí ann (ach níl eilifint ar bith ann!).

AR THALAMH TIRIM. Níor leag tú cos ar thalamh tirim le 497 lá! Is ar éigean gur féidir leat a chreidiúint gur bhain sibh an t-oileán amach.

BÉILE TE! Déanann an cócaire béile ar an trá. Tá sé go hiontach béile te a ithe tar éis an aistir.

ar éis seachtaine ar an bhfarraige, feiceann sibh Oileán Eilifinte agus tá áthas an domhain ar gach duine. Ach níl sibh slán fós! Tá tonnta móra ag briseadh ar chósta an oileáin agus tá sé an-deacair na báid a tharraingt i dtír. Tá an ghaoth ag séideadh go láidir nuair atá sibh ag cur suas na bpuball. Faraor, sciobann an ghaoth na pubaill léi. Caithfidh sibh dul a chodladh faoi na báid. Níl aon duine ina chónaí ar an oileán agus beidh oraibh dul níos faide fós chuig oileán eile – an tSeoirse Theas. Tá daoine ina gcónaí ar an oileán sin.

A dhiabhail!

z z z

Chun farraige Arís

Ag ullmhú an bháid:

Cabhraíonn tú leis an siúinéir an bád a ullmhú don turas. Ardaíonn sibh taobhanna an bháid agus déanann sibh clúdach canbháis dó.

Ní féidir libh fanacht ar Oileán Eilifinte. Mar sin, cinneann Shackleton go rachaidh sé féin agus foireann bheag go dtí an tSeoirsia Theas, oileán ar a bhfuil daoine ina gcónaí. Tá an siúinéir, tú féin agus triúr mairnéalach eile ar an bhfoireann, (ina measc mairnéalach Éireannach darb ainm Tom Crean). Turas dainséarach 1,300 km thar farraigí móra atá romhaibh.

ULLMHÚCHÁIN.
Coinníonn sibh an t-uisce amach le meascán de phéint ola agus fuil rónta. Cuireann sibh clocha troma sa bhád chun í a choinneáil socair ar an bhfarraige.

22

Oileán Beag san Fharraige Mhór

Míorúilt a bheidh ann má éiríonn libh an tSeoirsia Theas a bhaint amach. Is oileán beag é i bhfarraige mhór fhairsing. Mura ndéanann sibh an bád a stiúradh go hiomlán ceart, seans maith go rachaidh sibh thar an oileán i ngan fhios. Agus mura n-éiríonn libh an t-oileán a bhaint amach, ní fheicfidh sibh talamh go dtí go sroicfidh sibh an Afraic, 6440 km ó thuaidh. Oíche amháin, briseann tonn ollmhór anuas ar an mbád. Sileann uisce fuar isteach agus is beag nach dtéann an bád go tóin poill. Níor oibrigh tú riamh chomh dian agus a d'oibrigh tú an oíche sin. Tar éis dhá sheachtain ar an bhfarraige, feiceann tú cósta na Seoirsia Theas tríd an gceo agus éiríonn libh an t-oileán a bhaint amach.

AG OBAIR. Briseann tonnta móra 15m ar airde ar an mbád go rialta. Ní mór duit oibriú go dian chun an bád a thaoscadh.

CÚRSAÍ BIA. Faigheann tú cupán anraith dhá uair sa lá. Ta salann san uisce agus ní féidir é a ól. Tá an-tart go deo ort ag deireadh an turais.

IN AICE TALAIMH. Tar éis ceithre lá déag, feiceann tú feamainn ar snámh agus éin san aer. Tá a fhios agat anois go bhfuil tú in aice talaimh.

Idir an dá linn...

AR OILEÁN EILIFINTE.
Tá na fir atá fós ar an oileán
ina gcónaí faoin dá bhád
tarrthála eile. Níl mórán
spáis acu. Tá siad ag
maireachtáil ar stobhach.
As feamainn agus
sliogéisc a dhéanann
siad é.

25

Thar na sléibhte

Ag siúl:

TAR ÉIS SEACHTAINE ag ligean a scíthe, tá triúr den ghrúpa fós róthuirseach le dul ar aghaidh. Fanann siad ar an trá.

Caitheann tú seachtain ar an trá ag teacht chugat féin. Tá sibh ar chósta contráilte an oileáin! Tá na daoine atá ina gcónaí ar an oileán ar an taobh eile ar fad. Cinneann Shackleton ar na sléibhte a thrasnú agus roghnaíonn sé tú féin agus an mairnéalach Éireannach Tom Crean le dul leis. Tá na sléibhte an-ard agus clúdaithe le sneachta. Agus an oíche ag titim tá sibh ar bharr fána. Ní mór daoibh dul síos nó caillfear leis an bhfuacht sibh. Baineann sibh úsáid as lúb rópa chun sleamhnú síos.

Bí cúramach!

TÁ AILLTE ARDA, **oighearshruthanna**, agus **creabháis** dhoimhne le trasnú agaibh. Léimeann tú thar **chreabháis** dhainséaracha agus gearrann tú céimeanna san oighear. Ceanglaíonn sibh rópa eadraibh. Má thiteann aon duine beidh sibh go léir i dtrioblóid!

27

Sábháilte!

An mhaidin dar gcionn, sroicheann sibh an taobh eile. Is anseo atá muintir an oileáin. Tá an triúr agaibh traochta den siúl. Casann beirt bhuachaillí óga oraibh. Baineann sibh geit astu mar go bhfuil bhur ngruaig chomh fada sin agus bhur n-aghaidh chomh salach! Cuireann muintir an oileáin an-fháilte romhaibh. Tugann siad béile blasta te daoibh agus leapacha compordacha. Sábhálann siad na fir eile atá ar an trá ar an taobh eile den oileán. Filleann sibh ina dhiaidh sin ar Oileán Eilifinte chun na fir eile a shábháil.

Turas báid go dtí an tSeoirsia Theas 24 Aibreán – 10 Bealtaine 1916

Fágann sibh Oileán Eilifinte, 9 Aibreán 1916

Oileán Eilifinte

Ag imeacht le sruth ar an oighear

Téann Endurance go tóin poill, 21 Samhain 1915

Tréigean an bháid, 27 Deireadh Fómhair 1915

Ag dul le sruth sa phacoighear

Dia duit!

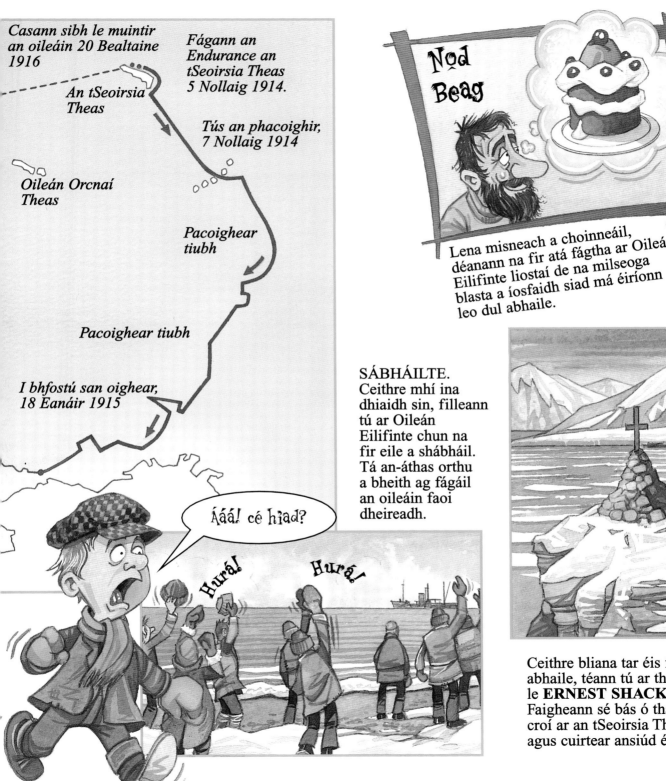

Casann sibh le muintir
an oileáin 20 Bealtaine
1916

An tSeoirsia
Theas

Oileán Orcnaí
Theas

Pacoighear
tiubh

Pacoighear tiubh

I bhfostú san oighear,
18 Eanáir 1915

Fágann an
Endurance an
tSeoirsia Theas
5 Nollaig 1914.

Tús an phacoighir,
7 Nollaig 1914

Nod Beag

Lena misneach a choinneáil,
déanann na fir atá fágtha ar Oileán
Eilifinte liostaí de na milseoga
blasta a íosfaidh siad má éiríonn
leo dul abhaile.

SÁBHÁILTE.
Ceithre mhí ina
dhiaidh sin, filleann
tú ar Oileán
Eilifinte chun na
fir eile a shábháil.
Tá an-áthas orthu
a bheith ag fágáil
an oileáin faoi
dheireadh.

Ááá! cé hiad?

Hurá! Hurá!

Ceithre bliana tar éis filleadh
abhaile, téann tú ar thuras eile
le **ERNEST SHACKLETON**.
Faigheann sé bás ó thaom
croí ar an tSeoirsia Theas
agus cuirtear ansiúd é.

Foclóirín

An tAntartach An réigiún is faide ó dheas ar domhan. Tá an Mol Theas san Antartach.

An tArtach An réigiún is faide ó thuaidh ar domhain. Tá an Mol Thuaidh san Artach.

Blonag Blonag an t-ainm ar an tsraith saille atá le fáil faoi chraiceann rónta agus piongainí. Tugann an bhlonag cosaint ón bhfuacht don ainmhí. Is féidir í a dhó chun solas agus teas a sholáthar.

Cnoc Oighir Bloc ollmhór oighir ar snámh san fharraige. Briseann siad anuas ó oighearshruthanna. Níl ach píosa beag de chnoc oighir le feiceáil os cionn an uisce mar go bhfuil an chuid is mó i bhfolach faoin uisce.

Creabhás Scoilt mhór in oighearshruth. Ní féidir iad a fheiceáil uaireanta mar go mbíonn siad i bhfolach faoin sneachta.

Dó Seaca Faigheann duine dó seaca nuair a bhíonn an aimsir an-fhuar go deo. Déanann sé an-damáiste don chorp, go háirithe do na cluasa, don tsrón, do na méara agus do na méara coise.

Eachtránaí Duine ar maith leis nó léi imeacht ar thurasanna dainséaracha chun rudaí a fheiceáil nach bhfaca aon duine riamh roimhe.

Folachánaí Duine a théann i bhfolach ar bhád ionas go mbeidh sé in ann taisteal saor in aisce.

Huscaí Madra láidir cróga. Tarraingíonn siad carranna sleamhnáin san Artach agus san Antartach.

Oighearshruth Sruth ollmhór oighir a ghluaiseann go mall ó thalamh ard i

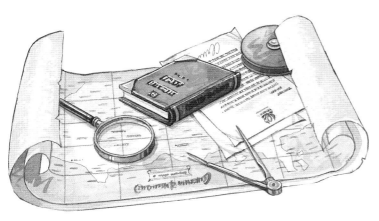

dtreo na farraige. Tá siad le feiceáil i sléibhte arda nó in aice leis na moil. Déantar iad nuair a bhrúnn méid mór sneachta go dlúth le chéile.

Pacoighear Tarlaíonn pacoighear nuair a ghreamaíonn oighear atá ar snámh le chéile, chun leaca ollmhór oighir a chruthú.

Scorbach Galar a tháinig ar mhairnéalaigh agus ar eachtránaithe go minic san am atá caite. Tharla sé de bharr easpa vitimín C.

Seiseamhán Baineann mairnéalaigh úsáid as an uirlis seo chun a suíomh ar an bhfarraige a fháil amach.

Síobadh Sneachta Stoirm mhór le titim trom sneachta agus gaoth láidir.

Ernest Shackleton *Rugadh Ernest Shackleton in Éirinn sa bhliain 1874. Nuair a bhí sé deich mbliana d'aois, bhog an teaghlach go Sasana. Chuaigh sé ar thurais go dtí an tAntartach ceithre huaire. Is é an turas ar an Endurance an tríú turas a rinne sé. Fuair sé bás ó thaom chroí sa bhliain 1922 le linn dó bheith sa tSeoirsia Theas ar thuras eile go dtí an tAntartach. Is ar an oileán sin atá sé curtha.*

Frank Worsley *Rugadh Frank Worsley sa Nua-Shéalainn sa bhliain 1872. Bhí sé ina chaptaen ar an Endurance. Loingseoir den scoth a bhí ann. Tá meas mór ag mairnéalaigh ar fud an domhain air mar gheall ar an éacht loingseoireachta a rinne sé chun an tSeoirsia Theas a bhaint amach. Scríobh sé leabhar dar teideal 'Endurance' tar éis teacht abhaile dó.*

Tom Crean *Rugadh Tom Crean i gContae Chiarraí sa bhliain 1877. Tá clú agus cáil air mar gheall ar chomh láidir agus chomh cróga a bhí sé. Rinne sé an turas i mbád oscailte ó Oileán Eilifinte go dtí an tSeoirsia Theas in éineacht le Shackleton, Worsley agus triúr fear eile. Ansin thrasnaigh sé sléibhte na Seoirsia Theas in éineacht le Shackleton agus Worsley chun cabhair a fháil do na fir eile.*

Innéacs